SÉRIE
AN
TO
LÓ
G I
CO
S

# LUCI COLLIN

ANTOLOGIA POÉTICA
1984 - 2018

# LUCI COLLIN

## ANTOLOGIA POÉTICA
## 1984-2018

Copyright © 2018 Kotter Editorial
Direitos reservados e protegidos pela lei 9.610 de 19.02.1998.
É proibida a reprodução total ou parcial sem autorização, por escrito, das editoras.

Coordenação editorial: Sálvio Nienkötter e Marcos Pamplona
Editora-adjunta: Bárbara Tanaka
Editor-assistente: Francisco Rocha
Projeto gráfico e capa: Manoela Leão
Produção: Cristiane Nienkötter e Raul K. Souza

---

Dados Internacionais de Catalogação na Publicação (CIP). Andreia de Almeida CRB-8/7889

---

Collin, Luci
    Série Antológicos / Luci Collin. – Curitiba : Kotter Editorial, 2018.
Cotia : Ateliê Editorial.
92 p.

ISBN 978-85- 68462-59- 1 (Kotter)
ISBN 978-85-7480-796-6  (Ateliê)
1. Poesia brasileira I. Título

                                                                         CDD B869.1

---

Texto adequado às novas regras do acordo ortográfico de 1990, em vigor no Brasil desde 2009.

Kotter Editorial Ltda.
Rua das Cerejeiras, 194
CEP: 82700-510 - Curitiba - PR
Tel. + 55(41) 3585-5161
www.kotter.com.br  |  contato@kotter.com.br

Ateliê Editorial
Estrada da Aldeia de Carapicuíba, 897
CEP: 06709-300 - Cotia - SP
Tel. + 55(11) 4612-9666  |  4702-5915
www.atelie.com.br  |  contato@atelie.com.br

Feito o depósito legal
1ª Edição
2018

# PREFÁCIO

Esta antologia nasceu de uma necessidade. Se verá.

Poliartista plurifacetada em tempo integral, imersa no mundo das palavras, Luci Collin segue na contramão do tempo azado a especialistas.

Talvez seja mais exato o caminho inverso, reconhecer nela a especialista: uma profunda especialista em coisas muitas. Não se perca, Luci é bigraduada em música erudita, bacharel, mestre, doutora e pós-doutora em Letras Português-Inglês e tornou-se professora concursada e pesquisadora do CNPq na UFPR. Desde o período de sua graduação manteve-se publicando livros de poesia, de contos e romances, ensaios e traduções, pelos quais vem sendo premiada reiteradamente.

Apesar de ser hoje ainda jovem, suas publicações se acumulam. Se não relaciono tudo, fica por demais abstrato isso, então, aí estão:

De poesia publicou: *Estarrecer* (1984), *Espelhar* (1991), *Esvazio* (1991), *Ondas Azuis* (1992), *Poesia Reunida* (1996), *Todo Implícito* (1997), *Trato de silêncios* (2012), *Querer falar* (2014, finalista do Prêmio Oceanos 2015) e *A palavra algo* (2016, segundo lugar no Prêmio Jabuti 2017).

Livros de conto: *Lição Invisível* (1997), *Precioso Impreciso* (2001), *Inescritos* (2004), *Vozes num Divertimento* (2008), *Acasos Pensados* (2008), *A árvore todas* (2015) e *A peça intocada* (2017).

Além dos dois livros do gênero romance: *Com Que se Pode Jogar* (2011) e *Nossa Senhora D'Aqui* (2015).

Além desses livros publicados, tem outros a ponto. Inclusive, no prelo aqui na editora, temos *Ao Vires Isto* — um livro de ensaios sobre a obra de Gertrude Stein da qual Luci Collin é coorganizadora e contribui com um ensaio seu.

Temos mais que uma poeta, fato fulcral em sua produção poética. É que ao tempo em que domina com rigor cada gênero, vale-se de domínios tantos para impregnar também algo de todos em cada peça que produz.

Corrobora nesse sentido o que disse em recente resenha para a Folha de São Paulo Guilherme Gontijo Flores, a respeito de seu último livro de contos, *A peça intocada*: "Chamá-los de poemas em prosa não é qualificar sua escrita como prosa poética (o que também viria a ser o caso em muitos momentos), mas afirmar a construção de um tipo de conto que recusa a estrutura da narrativa realista objetiva para apresentar uma pletora de registros e personagens quase anônimos que apresentam sua diferença na linguagem." Gontijo aponta essa intersecção entre os gêneros, mas não em outro lugar senão no que há de mais estruturante, na forma.

É esse contexto de abundâncias múltiplas e escassez de exemplares que justifica e torna imprescindível o presente projeto de apresentar ao leitor um livro que busca condensar essa produção poética ímpar em volume e intensidade. Não fica dispensada, contudo, como demostrou o trabalho de seleção, uma desejável publicação futura com as obras completas.

A seleção foi feita a quatro mãos, por mim e pelo Marcos Pamplona, poeta publicado também aqui na Kotter, lá na nossa idílica Quinta do Brejo. Por fim, a seleção recebeu pequenos e precisos cortes e acréscimos da autora.

Já no seu primeiro livro de poemas, *Estarrecer*, publicado em 1984, aos dezenove anos de idade, Luci Collin mostra uma maturidade artística e filosófica para produzir, por exemplo, poemas como "Que És":

QUE ÉS

Livra-te deste ouro
   que não mais te compra indulgências
Abre a porta da jaula imensa
   que comporta tuas feras
   que cultivas   que acaricias   que alimentas
Tira tuas máscaras e ironias
Esquece títulos e alegorias
      Analisa como estás agora

Tira então tuas adagas ocultas
   tuas flechas venenosas
Guarda tuas facetas ferinas
   tuas respostas insidiosas
      Sente como te sentes agora

E lentamente vai tirando também
   tuas vestes de púrpura
   tuas vergonhas impuras
   tuas febres que te queimam
   tua pele que te oculta

e assim se aguentares pensa:

   – não estás muito frio?


Com a mesma firmeza com que a persona lírica cobra certeira e impiedosa o abandono de tudo que há de insidioso (nesse ser apodando tudo) para chegar numa exposição que ultrapassa a febre e a pele, a poeta, ao um tempo, se apresenta também como esse ser já despido de tudo que nele pesava, um ser de estarrecer, que está e é, e que tem a justa medida do para que veio. Essa multiplicidade mostra-se uma das caraterísticas, mas também das melhores qualidades de sua obra poética como um todo.

Assim, não impressiona que esse livro tenha ensejado os comentários que ensejou:

"Você tem talento demais e isso será reconhecido, estou certo, mais dia menos dia. Sem favor, sem delicadeza, sem charme, você é Poeta. Com P grande... Foi uma alegria descobrir você", do grande dramaturgo Dias Gomes.

Henfil também não foi econômico: "Minha opinião? Sincera? 'meu Deus ela tem 19 anos só?! que mulher, que mulher!"

Paulo Leminski, do qual cabe dizer que a leitura cuidadosa para a antologia fez notar tênue influência, disse: "Estou admirado com o nível técnico desta jovem poeta, nesta geração que pensa que qualquer coisa é poesia."

No poema que dá título ao *Estarrecendo,* ela diz aforística: a verdade do ser é estar sendo. Talvez influenciada, talvez homenageando (talvez nada disso) a Guimarães: "o real não está na saída nem na chegada: ele se dispõe para a gente é no meio da travessia".

No último poema do livro que entrou na antologia, "Que Não Acaba", o leitor entra em contato com outro tesouro técnico da poeta, a justaposição de aparentes díspares. Assim, sob o manto do qualificativo *enfadonho* ela pode juntar, entre outros, o verme que corrói o corpo com a cor das flores no vaso. Tratam-se de pareamentos sinestésicos que vão hipnoticamente levando o leitor ao silêncio que o belo impõe.

Em *Espelhar,* publicado em 1990, a poeta parece desfrutar um pouco mais da influência recebida dos concretistas. Não espere poemas em forma de rabo de gato, mesmo assim, o concretismo aparece no trato com o mundo sensível e no acidental aristotélico. A espacialização está presente na página, mas ainda mais na imagem poética: "paifilhoeespírito o triângulo se converte em esfera imagem do mesmo ponto o mundo o olho."

O vórtice do "Ciclone" espalha e dispersa apavoradas folhas vadias.

O "Alvo" erra: "eu nome um que não houvesse", e assim o livro vai formando um caleidoscópio de imagens táteis e vigorosas, irresistíveis. Imagens ancestrais e definitivas como: "meu rosto um girassol feito de argila / imenso para o sempre barro / áspero irreversível". Ainda que nisso nada haja de conclusivo, e a antologia de *Espelhar*, mesmo depois de perguntar "existe alguém mais eu do que eu?", fechar-se com nada menos que uma interrogação.

Em *Esvazio*, publicado em 1991, vemos a cristalização do estilo, que funde as duas obras precedentes, agora com uma busca mais radical da essencialidade, numa estética da fome, como em : "ao invés de tratados / estrelas / ao invés de pintura / superfícies nuas […]".

Mas já antes revisitamos em "SaídaEntrada" os pareamentos e a arquitetura orgástica em brinco de gente grande que novamente remete à influência dos concretos, tão viva naquele tempo.

Em *Ondas Azuis*, publicado em 1992, terceiro ano seguido que traz a lume um livro de poemas, Luci Collin fecha essa primeira fase, caminhando, a nosso ver, no mesmo sentido, o da essencialidade e substantivação, com metáforas ainda mais surpreendentes gerando uma fanopeia mais dilatada, e termina "Oito e Meio II" com a recorrente interrogação:

> por menor que seja
>    o gosto da fruta
>    quem escuta
>    por mais sonoro que seja
>    o tiro no meio
>    da testa
>    no meio da noite
>    quem adivinha uma aurora
>           onde a porta
>        ?

Com *Todo Implícito*, publicado em 1997, Luci revisita a si mesma e ao seu trabalho pregresso, mas inegavelmente o lirismo vai ganhando mais espaço numa poeta mais confiante na própria intuição, sem por isso deixar de exercer sua marca, o constructo mental:

A SOMBRA

> eu sou aquele que foge
> 	que finge
> o rosto que uso
> as frases que tinjo
> com gosto de branco
> são vinho
> tinto
> portanto
> este destino
> portanto
> este norte
> indistinto

[...]

Mesmo sem abdicar de publicar sua prosa, Luci Collin passa 15 anos sem publicar poesia. Em 2012, rompendo um silêncio poético de 15 anos, publicou *Trato de Silêncios*.

Apesar de tanto que se tem a dizer sobre esse livro, pelo qual não escondo a preferência pessoal, como já tanto se alonga esse que era pra ser breve (menos palavras, menor o enfado), falemos somente do mais fulcral o poema "Solar".

Se uma das grandes virtudes da poesia é seu poder de multiplicar sentidos, nesse poema, um dos mais impressionantes e prenhe de sentidos já compostos nesses pinheirais, e que traz a talvez eu-poeta para o centro do poema, temos um quase tratado. Um tratado de Curitiba, eterno copo vazio cheio de frio, no dizer da Bárbara Kirchner, da classe média trevisana daqui. Um tratado sobre esse tempo que o tempo dourou de galãs, de novelas radiofônicas e de religião. Um tratado sobre um Brasil triste, construído por mãos negras, que o fazem sem razão. Um tratado sobre o olhar infantil revisto pelo adulto, um retrato preciso de um cotidiano que conhecemos como a palma de nossa pica, tudo num mundo de espera e de talvez, afeito mais à pergunta que a qualquer reposta.

Na sequência, Luci publicou *Querer Falar* (2014) e *A Palavra Algo* (2016). São os volumes que, não por acaso, mais contribuíram para esta antologia e sobre os quais, notadamente sobre o último, há farta fortuna crítica, que tira a novidade de qualquer comentário que se pudesse tecer aqui sobre esses trabalhos.

Esta antologia se insere como segundo volume da série Antológicos publicada em parceria pela Kotter e Ateliê Editorial, inaugurada pela antologia de Marcelo Sandmann e tendo como próxima poeta antologizada Jussara Salazar. Este livro-síntese da poesia de Luci Collin responde a uma lacuna editorial e representa um tesouro a quem o possua. Vamos ao que interessa, vamos a ele.

*Sálvio Nienkötter*
*Quinta do Brejo, fevereiro de 2018.*

ESTARRECENDO


    A VERDADE


        DO SER


           É ESTAR


                SENDO

*Estarrecer* (1984)

## QUE ÉS

Livra-te deste ouro
   que não mais te compra indulgências
Abre a porta da jaula imensa
   que comporta tuas feras
     que cultivas   que acaricias   que alimentas
Tira tuas máscaras e ironias
Esquece títulos e alegorias
       Analisa como estás agora

Tira então tuas adagas ocultas
   tuas flechas venenosas
Guarda tuas facetas ferinas
   tuas respostas insidiosas
      Sente como te sentes agora

E lentamente vai tirando também
   tuas vestes de púrpura
   tuas vergonhas impuras
   tuas febres que te queimam
   tua pele que te oculta

e assim se aguentares pensa:

  – não estás muito frio?

## QUE NÃO ACABA

tudo enfadonho
o sonho
as voltas
do moinho
o clangor triste
dos sopros
o tic-tac
dos pulsos
o bicho que sai
da fruta
o verme que corrói
o corpo
a cor das flores
no vaso
a eterna canção
do pássaro
a cerimônia
do berço
o vandalismo
científico
o comprimento
do espaço
a astúcia da ação
climática
o ritmo dos pingos
na pia
a cobiçada
alegria

os olhos que estão
sem colírio
os brincos de brilho
falso
as mãos tremendo
por algo
tão enfadonho
este globo
que não acaba
fim de ano
e não principia
ano novo

## ESFERA

                tudo é redondo
        o mundo            o olho
de onde quer que eu parta provado está retornarei ao
        mesmo ponto


    dentro do perfeito círculo meu corpo perfeito de homem
    em forma de estrela se exerce totalidade e
    o ventre que engloba
                está provado
é também
redondo
                como um cálculo exato

destino tomado
centímetros
            paifilhoeespírito
            o triângulo
            se converte
            em esfera

              imagem
              do mesmo
              ponto

    o mundo                        o olho

*Espelhar* (1990)

# CICLONE

perdidos
cada dos rostos
que diziam tanto
cada dos moldes
que valiam tanto
cada das paixões
largadas ao vento
que as espalhe
que as disperse
leve
para um onde qualquer
um qualquer destino
como folhas soltas
vadias
apavoradas
vão voando loucas
desvairando
que ninguém as salve
nem a nós
sob este céu cinza chumbo
sob este chumbo do céu
perdidos
feito retalhos
rostos
quase espantalhos
sangrados
pelo vento

deus furioso
bárbaro que não se detém
detalhe real prenúncio
de antes da chuva implacável
                que muito por certo
              vem

## ALVO

Fosse eu o elemento enlouquecido
rompendo o formal das tensões clássicas
que as resoluções imprevistas
não pesassem

pudesse ser visto
o lado máximo e o mínimo
sem a necessidade estéril do contorno
sem a vicissitude vazia do preciso
sem a doença letal do julgamento

– meu nome um que não
        houvesse –

querendo a infinitude do mais livre
a integridade do mais amplo
o código que finge o absoluto
        se não cumpro
não pesasse

vertendo o real se diluído
que eu simplesmente me espalhasse

              porque fosse fluido.

## JULGAMENTO

pesadas
as razões que sempre tive
as que nunca
espaços   maciços   vazios
convulsiva a noite
o dobro de mim sobre outro corpo
o resto de mim
o meio
o meio em que me eternizo
e me concluo

os pântanos as correntes os hálitos
o transparente dos sorrisos
que querem dizer tudo
que não querem
correm   evaporam   rompem

meu rosto um girassol feito de argila
imenso para o sempre barro
áspero irreversível
os olhos que me regem vêm
da noite maior
onde se guarda um grito fossilizado
de cada sempre o mesmo grito

                              sempre nenhum

# SENTIDO

estou me sentindo um temporal
        sem água
uma chuvarada que não molha
que não molha

queria que um deus que fosse um deus
sentisse tanta pena de mim tanta pena
quanto sinto
        e enterrasse meu corpo
        distante
        ninguém quase sabendo
        onde

num areal na praia de ondas recorrentes
lambendo pedaços trechos
metades levando para alimentar
                peixes

estou me sentindo um estrangeiro
que quer voltar para casa
onde mora       onde cabe
      onde é
            onde?

# ESPELHAR

    espelho
    espelho meu

    existe alguém
    mais
     eu
    do que


     eu
     ?

## LOAS

        os pássaros
      que cantam à noite
peludos    e    obscuros
       são serenos
vadios    e    inocentes
      em sua lógica
       peluda e obscura

com ela vigiam a noite
mensuram a noite
regem
dominam

        louvam

no escuro
cantar
o escuro

              não bem com salmos

              mas com gritos

## INTERROGATIO

a ampla porção sem nome
se esconde
nos rostos tantos
se encontra

diamante gelo fingindo
chicote ao mais leve
toque

existe e ninguém sabe
como ela
        confunde os passos da marcha
        confunde os pares da dança

confunde toda a sentença
roubando para si
o ponto com o qual

            se interroga

## SAÍDAENTRADA

        o CÓTICO de um NAR ciso
        o URO de um OXI gênio
        o CESSO de um AB sinto
        o BÓLICO de um PARA íso
        o GASMO de uma OR questra
        o FÓRICO de um META físico
        o ÁVER de um CAD astro
        a ÓDIA de um PAR oxismo
        o RAPO de um FAR sante
        o BELDE de um RE banho
        o AUSTO de um EX pediente
        o TÁSTICO de um FAN toche
        o TÁCULO de uma TEN dência
        o FADO de um EN genho
        o RÂNICO de um TI nhoso


        a DADE de um UNI córnio

*Esvazio* (1991)

## LEVITER

há menos do que pássaros
nos olhares
insetos atraídos pela luz
imagens desaparecidas
num cais
o mundo começa e termina
a noite carvão gesso ferrugem
tenha qualquer cor
pesados braços de ferro
levantam escuridões
como guindastes
embora invisíveis

o céu um pesadelo medíocre
perante a estatura dos gritos
que junto com as ondas
se quebram
e não se esconde
as cicatrizes
dos olhares
são vozes que
mesmo quietas
retumbam
naquele timbre incisivo

                o que perpetuamente
                   nos consome

## TROPEL

ao invés de tratados
estrelas
ao invés de pintura
superfícies nuas
ao invés de estratégias
botões
nos floretes que
porventura

veios efetivos
vivos lírios
ao invés de
pântanos

unicórnios
ou simplesmente
cavalos
ou tão simplesmente
galopes
ou até o trote se tal

ao invés desse passo
ordinário

# O OITO-DEITADO

I.
noturno
confundir contornos
convidar alguém para a noite
os passos da dança
segredos
estrelas enfim
ventania

persiste
(aço imanente)
o imenso movimento
      moto-perpétuo
        ad infinitum
          più lento


II.
  por menor que seja
  o gosto da fruta
  quem escuta
  por mais sonoro que seja
  o tiro no meio
  da testa
  no meio da noite
  quem adivinha uma aurora
          onde a porta
            ?

## TODO IMPLÍCITO

    não o sentido absoluto
      tampouco o tudo

    só esta certa presença
      que não pretende
      que não pergunta
        nem responde

livre da voz
livre do tempo
mais do que livre

                o todo implícito
                  no fragmento

## VAZIO CÓSMICO

meu coração que não compreende
nem álgebra nem gramática
aos poucos se gasta
como uma máquina
alvo do atrito
como uma foto
aos poucos se apaga
sons enfraquecidos
à sorte do tempo

por quê tanto sentimento
se esta semana se disse
ou melhor, cientistas provaram
através de cálculos perfeitos
que o espaço não é infinito
          ?

como se cometesse uma gafe
pede sentidas desculpas
e no mais profundo silêncio
meu coração
          anoitece

## O QUE CONTA

na vida sabedoria
(que o contrário se prove)
é sem qualquer teoria
tirar dez
naquela prova
              dos nove

## A SOMBRA

eu sou aquele que foge
            que finge
o rosto que uso
as frases que tinjo
com gosto de branco
são vinho
tinto
portanto
este destino
portanto
este norte
indistinto

aquele que em trôpegos traços
se configura o que fica
   num exercício constante
   forjado de entretantos
   tentando ser o que
                parte

# AQUI

aqui
onde invento
onde eu represento
não chega nem
o correio
só arrepios
trazem os ventos
em forma de arritmia
aqui
onde se cria
contra a monotonia
não chega nem
o vazio
nem o pleno
só o meio
termo
entre o céu
e o inferno
nada de chuva
nem magia
sobre o chão
seco
tombam gotas
imaginárias
as vozes
mais que sedentas
devido a sorte
crônica
da superfície

aqui
esta isca
de anzol
envelhece
sem nem saber
o que é
peixe

## DESTA FEITA

desse discurso
ler só mesmo
ausências
da palavra
o sentido
sem arquitetura

prescindir das vírgulas
das penalidades
da pontuação

ver só mesmo
gestos e empenho
da tinta
reticente
no abandono
do branco

desse discurso
reconhecer
que o palhaço
entrou em cena
sem
o nariz vermelho
sem
a gravata imensa
sem
a boca disforme
sem
as piadas de sempre

e que não foi
sem
querer

## SOLAR

Não, não ficaram feridas.
E, nem de longe, expiações.
(Fumaça solo).

Da casa onde os degraus rangiam
(tábuas desgastadas, cuide!)
Os pequenos quartos
Antes do salão de acordes maiores ao piano.

Adega de licores escuros e poeirentos,
Marolos e butiás de um verão que se envasou.
Porão onde se engomam linhos,
Punhos e pregas saltam dos cestos de vime.

Nas tinas se alvejam lençóis enodoados de desuso,
(noites subtraídas do enxoval),
Tácitas criadas na lavanderia
Curtem seus ventres que crescem e murcham
Pensando em nome bom pra filho sem sobrenome.
À beira de tanques, fantasiam galãs radiofônicos.
Mãos calosas transportam baldes de zinco.

Na cozinha, timbres e registros em fugato
Discutem técnicas de quaradura e compotagem.
De vestido de chita e discreto retardo mental,
A vesga lava os litros com uma bucha.

A frigidaire vanguardista respira obstinada.
Na copa, onde as primas viúvas debatem
A aposentadoria no magistério e sianinhas,
Até o amor-aos-pedaços é cristianíssimo.

A biblioteca proibida do tio que desapareceu.
(Talvez ratos. Perdeu-se a chave. Talvez comunismos).
A alcova da tia-avó ausente pela fraqueza dos pulmões.
Soalho íntegro à custa de escovão e lumbagos.
Na penteadeira, o leque e o pó-de-arroz indiferentes.

Um quarto de teto inclinado onde
A avó de alguém, talvez minha, conversa com a Lanofix
Que cospe pontinhos doutos e calculados;
Uma matemática anotada em caderno de quadradinho
Garante a profusão de raglãs e rulês
(sacadas a olho duma Burda na banquinha).
Mão que rege com um transportador de pontos.

Pegado, a agregada alemã de estada indefinida ali
Que perdeu fortuna e marido, os cabelos longos e a língua,
Reza luteranismos e espera.
Talvez um telegrama.

No jardim, camélias imaculadas viçam e fenecem,
Apesar de as mãos pequenas, talvez minhas,
Sabotarem um que outro botão.
No quintal, marmelos e galinhas dão conta do tempo,
Mainos e bonançosos, cirzem cenas de espelho.

O pai não chegará às seis da tarde.
Talvez meu.

A lenha empilhada remata o dia
(friagem, cuide!). Grilos procedem. Vésper.
Tomamos sopa em dois turnos.
Nós antes. Eles depois.
Sabão de cinzas. Trempe areada.
Pratos no guarda-louças, hieráticos de novo.

De um rádio escapa a novena
De Nossa Senhora do Perpétuo Socorro.
As moças velhas sussurram Glórias.

O cuco apregoa braços de Morfeu,
Por conta de automatismos.
Os olhos do pequinês estão miúdos.
Sagrado o tudo de novo.

Aranhas vazam de frestas e de breviários.
Alguém toma um trago de garrafa clandestina.
Alguém chupa a pastilha pra dor de garganta.
Livre de anágua e liga, alguém deixa os dentes no copo.
Sob o oratório esconde-se a chave da despensa.

No escuro, a chama do cigarro de alguém.

Talvez hoje.
Talvez eu.

## COMPOSIÇÃO

O objeto do meu amor
é belo
mas tem asas

e nem sei se é meu
nem quando ouço os gritos
acredito

cuido para que as flores
obedeçam
decanto os encantamentos
e espero

movente e único
tem um olhar
que faz gotejar rallentandos

e as cores do dia sempre são
sinceras
por isso temo em segredo

tomando o solitário café
olho além das paredes
e perpetuo o estático

as mãos cansadas de reger
adeuses

## VULPE

hesita

integra o olhar ao descolorido
assume que a vastidão é o seu focinho

o lago congela a incógnita
e é inseguro crer no branco sujo

vacila

algo compele aos peixes
e ela sabe a miséria da fome

avança

    e o primeiro passo são todos

vence o rudimento paralisante que define
a pulsação do abismo

## SCHRIFTSTELLER
(o livro de fotos)

    assustador um homem que inventa
    outros homens

    o que veem seus olhos
    abertos ou fechados
    noite ou dia

    assustador um nome que ao ser pronunciado
    faz existir as frases que aguardam na estante

    Nabokov caça borboletas
    com uma rede adequada e pisará sobre flores
                          Estaremos numa primavera?

    Beckett mira qualquer botão da camisa
    no quarto de negra totalidade
                           Estaremos roucos?

    Char segura uma bengala
    ou uma espada
                           Estaremos mortos?

    Kerouac vê cadeiras, teto, tapete,
    cortina e um despertador automático
                           Estaremos prontos?

Borges, se você sair desta enorme janela
não vinga a eternidade
                    Estaremos rindo?

Genet sentado no chão desconsidera
a última moda em lenços de couro
                    Estaremos quites?


E você, escritorzinho sem fotografia,
precisa de um blazer axadrezado
com mangas puídas
um aluguel vencido
um cabelo sem corte
um olhar indecifrável
um cachorro latindo
uma dor aguda nas costas
ou no braço
ou de dente
um copo vazio
outro copo
ônibus barulhentos passando
a manhã inteira
a tarde inteira
a noite inteira
passando
uma solidão que semelha a brasa
comendo o cigarro
(por falta de imagem mais nobre)

precisa abraçar uma enorme estátua
e pensar numa palavra não inventada


Estaremos salvos?

## ESPÉCIE

vestido e tempo na caixa
só o relógio compreendeu o rigor dos pactos
as plantas do vaso não
o pó sobre os móveis não
as botas num canto não

e tudo fora de moda
vincos e adamascados
falar em silêncio
esperar pela conjuntura
regar imutáveis

acreditar naquele telefonema
é quase servir conhaque a fantasmas

até as escadas mentem
até o gelo no copo
a lâmina de rematado aço
deixa vazar árido murmúrio

rostos quedarão desconhecidos
depois de um tempo o entrevisto se firma

na lixeira a presença dura dos papéis rasgados
e por dentro um infinito de exclamações

## PRINCÍPIO

A reza que eu sei é sem palavras
é só aquele silêncio fundo
que saberá a brisa
definir
que saberá a estrela
recompor
que saberá a lua
em seu aparente desconsolo
suportar

     mas que eu
precária e sedenta criatura
cansada de adjetivos
exausta de estratégias
(minúsculo vocabulário)
     tenho em mistério.

A reza que eu sei é incipiente
é sem som
é só aquele espanto que brota quando
por um momento
suprime-se a lógica
e as armas caem
reconhecido o ridículo dos votos
a limitação dos obrigatórios.

Procede
rara entrecena
quando se vence o cansaço
dos gestos cotidianos que acumulam
passividade e o estéril
quando se vence razões
perpetuadas em sua disciplina
oca.


A reza que eu sei é triste
talvez
e perdoa-se que seja em parte
ineficiente

mas mesmo não sendo método
mesmo não sendo fórmula
tem uma ação que eu enxergo

que mesmo não sendo reza
transmuda o negror imanente
na cor mais plena do verbo.

## CENA-MUDA

eu que era único
e indivisível
agora criei tentáculos
ávidos
que não controlo

roubam vermelhos vivos
que nem sei para que servem
desejam tanto, usurpam
violam cantos sagrados
espalham cinzas
riem
esbofeteiam

cinicamente esfarelam
pedaços lícitos de pão
distribuem as fichas
embaralham cartas
trapaceiam noites adentro
alheios ao meu desconforto
trazem ouro profano para casa
abarrotam mesas

e eu, mudo e multifacetado,
olho a insana riqueza
que meus próprios braços acumulam

e tentando escutar meu vão discurso
não consigo
porque as frenéticas mãos que não controlo
                    aplaudem ruidosamente

## ONTIVO

Nos encontraremos e eu estarei atarefada
e você estará imerecível
e eu estarei cansada para o cafezinho
e você estará exausto para um cinema
e eu estarei amorfa
e você palimpsesto
e eu estarei rendida às evidências mais ocultas
e você descompassado às vivências absolutas
e eu estarei com pressa
e você naquela hora imprevisível
e eu estarei naquela hora portentosa
e você estará naquele momento incrível
e eu estarei naquela manhã chuvosa
e você estará naquela noite audível
e eu retrocederei até auroras
e você avançará aos ocidentes
e eu compreenderei infinitudes
e você desvestirá os contratempos
e eu deslizo pela superfície e vou embora
e você mergulha mar adentro e refloresce

## CIRCUITO

    Hoje
sou apenas um cachorro de rua
desses que bebem água de poça
desses que têm ferida com mosca
desses que nunca ninguém pôs coleira
e nem sequer cogitou

sou só o troco que cai no pires
o osso que fica no prato
a pele que vai pelo ralo
o toco que cai no chão

    Hoje
na bússola sem ponteiro
o norte imperativo
é apenas antigo conceito
é resto desmoralizado
de um norte verdadeiro

eu sou a rua vazia
a casa vazia
a janela vazia
a despensa vazia
a garrafa vazia

    Hoje
sou um poema ruim
de rima paupérrima
um pão inteiro
com gosto
de migalha

eu sou o inseto desavisado
que pousou nas fezes
na flor
e com a mesma inciência
no pudim

    Hoje
eu sou o colibri que entrou na sala
e se bate nos móveis
e embora saiba que a saída é pela entrada
simplesmente não lembra por onde foi
que entrou

àquele rosto no espelho eu perguntei
quando é que muda a lua

e o silêncio dele me fez
pensar se poderia ser

    Hoje

## EXTRAVAGANTE

este cão que me segue
na noite insignificada
desconhece meu desalinho
este estar parado em esquinas
os goles de café ruinados
a doutrina dos ácidos
este encarar salgueiros retóricos
de gestos calcificados
que vazam exílios e fidalguices
e os sóis de madeira
desta cidade imediata
que me habita


este cão que me segue
ignora meu desalistamento
meu breviário de orbívago
a fuga das emergências
o rosário dos inválidos
o desalme das pedras mal assentadas
a aflição do que é virgem
o cenário flácido onde boiam
luas e escapulários
onde fremem iniludíveis escadarias
e galhos nus que competem
em barroquismo
com os braços da iluminação pública

inexperto e manco
exemplar de desabilidade
este cão me segue
como eu sigo os deuses
inventados pela escuridão

## DE SOMBREAÇÃO & BORDADURA

quando eu vivia na casa da rua anis
os cômodos e os exemplos eram imensos
calor abatumado na água-furtada
os insetos tergiversavam
e as rãs e os sorrisos eram de cristal holoédrico

uma mão regia os contratempos
os cometas eram inexplicáveis
as uvas de cera eram jacobinas
o amuo era sustado com água vegetomineral

elogio à lerdeza e à pantofagia
baralhando as notícias do jornal
um quelônio às vezes emergia da horta
para surpresa dos anões estáticos
para desespero da tia-avó manquitola
para a emoção do mamoneiro

quando viviam todos na casa e ainda eu
os genuflexórios levavam a alturas máximas
e eram temíveis as quedas e as vertigens súbitas
e eram temíveis as asas enferrujadas
e eram temíveis os olhos búricos

os sapatos haviam conhecido todas as ruas
as sacolas haviam carregado curiosos pesos
os compassos haviam desenhado todos os círculos
os ombros haviam acumulado elegias

eu dançava para que as acácias brotassem
eu dançava para que o doce desse ponto
eu dançava para que os vértices coincidissem
eu dançava pela alma dos afogados

me impressionavam as hagiografias
me impressionavam as vidas das criadas
a prataria escurecendo me impressionava
as joias na caixa me impressionavam muito
os dentes podres

a tabuada era um tratado de versificação
os espelhos tinham valsas embutidas
o tule sinonimizava voto e desejo
os desvãos do corpo eram grandezas incertas

e grudada nos rostos e colada às mãos e à pele
e às vozes mais delicadas mais desaplaudidas
ia    insistia    afincava
a aula magna do tempo

## TENTAME

*e entre nós e as palavras, o nosso querer falar*
*M. Cesariny*

não havia palavra que coubesse
na carícia que os dedos fazem nas cordas
palavra que frutificasse ao falar
do deserto

um instrumento desafinado
que arranha a plenitude do lago
que quase inexiste
traz uma dor desconcebível e úmida
de dia frio      de voz rachada
de sobreavisos

não havia palavra que se aproximasse
da carícia feita nas cordas deste instrumento inabitado
e a voz desconjuntada se esforçava para trazer
a manhã de volta

eu permeável pudesse nesta giga saber
que uma aridez ternária jamais não dói
não esboça certeza nem parelha
é arrítmica esta inquietação de perfumes abandonados

voz subsistida no som das carícias
nas horas eriçadas      na suspensão

e eu aqui querendo que a palavra que fala
não seja só
o próprio deserto

## NAQUELE MAIO


    as certezas chegavam oficialmente pelo correio
    você guardara as máscaras numa maleta
    e a maleta num baú antigo
    e o baú fora enterrado a metros e metros
    ou jogado no fundo do fundo do oceano índico
    junto com as chaves
    com os segredos do cofre
    com o zoológico de cristal

        Isto não se sabe

    E eu seguira regando os gerânios
    as prímulas e os telegramas vindos de longe
    afofando a forragem no cocho
    desenterrando ossuários
    ocupada não fora ao baile
    cuidara dos detalhes da brotação
    cerzira albores e antefaces

        Isto se sabe

## RETRANSCRITA

como se fosse o último dia
esfregou o mármore da entrada
recolheu o lixo da festa
amontoou as folhas
escutou as sonatas completas
espanou os livros de cinologia
recitou o poema de cor
atravessou a rua com cuidado
tocou e dançou aquela valsa
comeu trufas
riu de uma andorinha e sem sentido
brincou com as conchas da praia
alimentou gansos
saiu para tomar ar fresco
conversou com o guarda-freios
deu muda de alfazema pra vizinha
inventou a pólvora
tirou uma sesta
desencardiu os candelabros
jogou damas com os desvalidos
escovou a pelagem dos cavalos
botou veneno para os ratos
cerziu a cortina da sala de visitas
colou o bibelô da cristaleira
regou as petúnias
preparou o molho da receita
velejou até o oceano glacial ártico
apagou a luz do abajur

subiu aos céus
para voltar amanhã
e redimir sua alma pardacenta
como se soubesse

## UMA TARDE QUE CAI

Quando o vemos está sentado no banco da praça
Ela está em casa presa à trama silenciosa

Na praça pássaros e flores são sinceros
Na janela pássaros são fantasmagóricos

Com o lenço do bolso ele seca o suor da testa
Ela enxuga os olhos com a manga

Ele rosna mas só por dentro
Ela supura mas nunca aos domingos

Ele lastima porque o pão é azul
Ela suspira e a tarde muda se avelhanta

Ele pergunta se as janelas são sinceras
Ela pensa em se atirar nalguma água

São fantasmagóricos os azuis que saem dos olhos
A gangrena e a borra são absolutos

Quando o vemos está em frente à TV imaterial
Ela está de costas de bruços de borco

Ele está palitando os dentes à espera
Ela vazia

Ele está entardecente e flama
Ela boia sobre a água azulíssima

Ele tosse cospe resmunga lanceia vage
Ela fez as unhas e o bolo simples

A previsão do tempo anuncia chuva
Ela toca a pedra friíssima

Ele se ofende
Ela se ofélia

## CONTO

então uma dedicatória
num livro
remete a esquecimentos
às palavras deixadas
para trás

preenche vazios
revive perfumes
inventa o primeiro parágrafo
da história tão delicada
que agora nem se acredita
um dia não foi
ficção

## SURPREENDÊNCIAS

da mesma janela de onde se pode
vi a mulher com seus canários
seus gestos ferruginosos
suas tempestades
sua saia de surpresas

daqui
desenhei todos os utensílios
tudo que julguei preciso
esbocei o moço que pintava
e reproduzi o duplo
o multiplicativo

os tecidos têm seus próprios assombramentos
sua vitalidade escura e escorregadia
me detive nas sapatilhas do grande
bailarino russo talvez
para saber que as oportunidades
aparecem na voz
são movimentos da cabeça
trincas nas paredes
são roçares
são escaras que a fotografia não
participa

haverá pra sempre o brilho refratado
o rio e as superfícies de cristal
são possíveis adiamentos
naus tomadas
vigílias e sobreviventes

uma mulher que repousa nesta poltrona
na capa do livro é outra vez
e os cordéis e os espíritos esperam

as telas vazam personagens sem olhos
que viverão para sempre
as filas de nomes na biblioteca do pai
as hortências desúteis ali
onde a escrivaninha testemunhou
frases de despedida que foram colocadas
num envelope

e era linda a menina que acreditava
ver cubos que se movem
ver encaixamentos
da mesma janela de onde

## MULTIPRÁTICA

nos mansos braços da fabulação
ela despejava religiosamente
as três medidas de sabão em pó
na sua superclean 20 kg
e sorria

e as três colheres cheias de pó
na practicaplus com jarra de inox
garantindo xícaras na medida certa
para toda a família
sorria

e três tampinhas daquele produto
num balde de três litros bastavam
para limpar quilômetros de chão sujo
e depois ela aspirava tudo com o megaflexsteam
não ficava uma gotinha desavisada
por isso sorria

em missão
com o multiprodaily ela centrifugava
em várias velocidades
ela processava em segundos
triturava que dava gosto
e além de tudo economizava tempo

muito tempo ela economizava
para executar outras funções
emulsificar climatizar secar remover esterilizar
e

programado o ciclo completo
daquela que era a melhor eletrodoméstica do mercado
a cada tarefa finda
naturalmente
                                      ela sorria

## DEVERAS

o poeta finge
e enquanto isso
cigarras estouram
pontes caem
azaleias claudicam
édipos ressonam
vacinas vencem
a bolsa quebra e
o poeta finge
e enquanto isso
vagalhões explodem
o pão adoece
astros desviam-se
manadas inteiras se perdem
a noite range
o vento derruba ninhos e
o poeta finge
e enquanto isso
vozes racham
veias entopem
galeões afundam
medeias abatem crias
turvam-se as corredeiras
o sapato aperta e
o poeta finge
que as mãos cheias de súbitos
não são as suas

*A palavra algo* (2016)

## CRÔNICA

afinadas as cordas
as assíduas moscas são solícitas
um foco vermelho estrebucha
sobre o regente cuja casaca é puída
mas ninguém notou ainda
é a cena
e a solista é jovem de além
nem trouxe partituras na mala
porque é pura proeza de improvisos
e tem nas veias fados e cinzas
de avós que sabiam tudo de cor
e aqui há ovação de sobra
(aplausos múltiplos
quando ela entra quando ela sai)
é diva modesta que nem ri
é diva séria que tem talvez um molar doendo
talvez estragado e apodrecente como as trompas
mas ninguém observou ainda
é a cena
esse invadir da sonolência e da inércia
no aconchego das pérolas laicas no pescoço
é quase que teoria quase que axioma
o céu foi esvaziado     o chapéu idem
as escalas acomodam folhas secas
o divertimento é leve e escolhido a dedo
e nem se cogita perseguir o *leitmotiv*
o solo é um voo rasante
uivos são adiados porque aqui só moscas
(os ouvidos foram batizados com a melhor cera)

e o grande esforço da estrangeira que sua
que arrebenta as unhas no *glissando*
ninguém constatou ainda
é a cena
distraídas talvez olvidando o anacruse
as poltronas de cor indefinida se regozijam
pelo adiamento da deformidade
porque estão
vazias

## DESERTO

estão mortos o leito o peixe o fluxo
morrem os azuis os verdes
imensidões de prata e ouros
e o bater de asas não é mais
espaço nem som

estão mortos os que dançavam
os que recriavam
tudo o que reunia
suas vozes são lama
são óbito são anos de término
seus dedos serão carícia nenhuma
só extravio do curso

estão mortos os conteúdos
a tartaruga é fóssil em cinco minutos
estão mortas amostras e semelhanças
ninguém mais quer ser semelhante a isso
e não há como conceber a imitação

boiam destroços
o ar tem cheiro do ágio
boiam pontos de interrogação
sua mão cínica gargalha
sua boca ácida determina
e o olhos vazando já nem divisam
o lixo da sua civilização

# FIRMAMENTO

o espantadiço gosto da memória
cristal de confeitaria
adorno de sèvres longínquo
faz desfilar aqui não só os mortos
mas as tessituras abortadas no algo que têm
de farelos
de abstração
de incongruência

e o discurso é para ser longo e nítido
mas a tinta borra    hesita
ela mesma tem lapsos
e talvez falsifique as cenas em seu arredamento
de pávida lembrança
a chegar só
a pose permitida
no monóculo de plástico
que de repente se move e vozeia
se move e acomete embrenha-se invade
e os verbos que contariam o passado
são defectivos

os moldes das roupas têm demasiadas linhas
a sustar a precisão do corte
e não se tem o papel de seda a embalar o gosto
não se tem a conversa depois do almoço
nas tardes inativas
não se tem a ingênua mão que surrupia um coringa
na partida que valia apenas passatempo

para evitar a despedida
para evitar o arremate
para evitar o silêncio
e todo o seu ouro
esquálido

## ÁLBUM

como são enormes
as ossadas de animais no museu nacional
("Não se diz 'ossos'", advertiu a tia solteirona
formada em filosofia pura)

quando descobri o imenso livro de anatomia
de crustáceos e moluscos
sob impulso científico enclausurei
insetos nos vidrinhos de remédio
da bisavó

a bisavó chorava à toa, aliás,
e zanzava pela casa ralhando (em vêneto)
com fantasmas que a haviam
abandonado
bem ali

como são enormes
as lembranças
quando meu pai me perdeu no mar
quando minha mãe me perdeu na saída do cinema
deve ter durado trinta segundos
e até hoje

quando o carrilhão dá cinco
(que era a hora do bolinho de polvilho)
sento-me pro chá solitário
e folheio um atlas de imagens decorridas
que se debatem como insetos

e o gole tem um gosto desabitado e ermo
porque perdi o código
com que se argumenta
com os fantasmas

# INCISO

na irrevogável medida que impõe o silêncio
e o siso
enfrento a densa espera
e das janelas vazias
inauguro uma sobrevivência
em preto e branco

a mesma escuridão indormida
as mesmas frases devolutas
a mesma tentativa dum cinzel
que tomba em susto e avesso
na invenção de formas
que se indeferem

(gostava da tua cabeça embaralhada
das suntuosas histórias no meio do brinde
de te assistir descobrindo gestos
gostava do teu deslumbramento
perante a aurora do corpo
e do meu alheamento perante o resto

riacho flúmen vindos eu gostava
da maciez dividida e da adivinhada
de encostar metades e prever impudores
e tudo aquilo que não precisa de rima)

agora a constelação arrefecida
agora já não sonho linces
não cultivo augúrios
uma onda derradeira encobre a cena

as palavras certas
levantaram voo

## ESTÉTICA DA CENA

o que meu olho imagina
entre migalha e galáxia
é o deslumbramento daquilo que
inaugura adornos
e que ocupa a boca florescida um
sorriso

o que meu olho cogita
entre estilhaço e elipse
é o reconhecimento da voz
sempre pincel
uma dobradura e seus compassos
um refresco
e duas vozes são muitas
a partitura esculpida
entre a saliva e o sopro
aquele sem esforço da mão
que toca a fruta

é meu olhar que monta a cena
e o gosto
é meu olhar que usa a pele
para ler o espaço
e resultar o espaço
e converter o dia em pulso

é meu olhar que descobre a casca
e o aceno

e os nomes escorrem
molusco e infinito
o texto uma palafita

e o olho engendra
uma alforria que se funda
em ler-se em si o rascunho
do próprio olhar

# HAVERES

### I.

o cavalo único
que reaparece nesse aqui
é aquele que inaugurou-se o longínquo
e aquilo que pateia sobre uma relva de sigilos
que quando examinados de perto
são pontos de exclamação

o cavalo mais do que imediato
que vibra no destino das lonjuras
trama uma esparsa coreografia
que é seu discurso de casco
e informa tudo o que se diz
de olhos fechados
amplitude      redenção
e avesso
da geografia menor
e da espera

o cavalo que alimenta a lua
em mim      em ti
e que destempera as marés e os vermelhos
das moças      das veias      das cortinas
é um lírio apenas e um assobio
é ventríloquo dos sorrisos
e espantos tanto das montanhas
quanto das muralhas
e das milhas

o melhor pintor da aldeia
gargalhará para sempre porque
tentou flagrar a graça do visto
mas confundiu a imensidão dos escampados
com o som das patas
sobre tudo que é cristal

e a loucura é o mínimo preço
de se querer conjugar
o invisível


II.

o pássaro tido como exageros
conhecido dos reis e dos insones
de há muito alheou-se de asas
e de rumos
e ora diverte-se com a retidão das hipérboles
e leva no bico o porquê primeiro

pássaro absolvido e soberano
pratica o desábito da monta e das cifras
asperge voos e desejo de voos
por entre os olhos que expectam a bem-aventura

e a senhorinha persigna-se
e os narcisos se encabulam
e os bálsamos e os sândalos

ao som de risonhos chocalhos
se volatizam

o pássaro reza num curso intransitivo
e desimportam vãos
nas telhas   nas estátuas   nas bocas
porque construiu um alfabeto inédito
de palhas   de corantes   de areias
e nunca entenderão que ele é sempre
o mesmo pássaro
de miçangas
cuja luz cala a intenção
das feridas


III.

porque não há sinônimo para ele
este peixe daqui não participa dos enunciados

não tem ânsias nem dedos
e sua respiração jamais perturbou alfarrábios

não tem olhares nem mandíbula
e são parábolas suas asas de febre e de noite

com o ateísmo dos papéis em branco
ele se esconde por entre os cílios

os homens na cisma de conhecê-lo
forjam extravagantes registros sobre o que
não sabem
sobre o peixe e o cansaço do peixe
anônimo

as palavras dessas bocas aborrecidas
querem conformar o efêmero
peixe-nuvem   -farol   -unicórnio  -gelo

são teatrais adjetivos
para o mistério que reaparece
nesse aqui

sem nem sê-lo

# DIAS

Era mentira que a dor envelhece
Eu quero ouvir as histórias antigas
E recompor os enredos que já conheço
(Meu avô subindo a rua assobiando:
é domingo)

Não quero histórias que mudam
Eu quero os personagens de sempre
As cenas antigas
As portas antigas
As noites antigas
As antigas mãos
("Vô, a vida é ruim?"
Risada)

E aquela certeza de que o mundo amanhã
Continua igual ao mundo aqui dentro
E eu pertenço ao dia
em que olho pra esta figura que também
me olha
e posso dizer:
prazer
em revê-la.

## USUFRUTO

é na falha é na navalha dessa guitarra
que se instala o melhor fôlego
é na batida que confunde o coro
que corrói a pose da estátua
é na gíria e nos pés quebrados
que se arraiga a melhor dança
e a graça do mosaico se restaura

é sem cartilha que a flor se elabora
é no próprio olho o pasmo
é no improviso que o allegro vocifera
e aquela figura no vitral balança
num riso de apascentar alcateias
é na voz que arranha e coagula
que se traga a insanidade da rotina

é na cremação da regra em mais que perfeito
que dobram os sinos
que as fragatas voltam
com o fim da tarde que arranca o que estiver
lá dentro        lá longe
e se concede a noite
artigo de fé

e o louco que rasga o escuro com sua alegria alcoólica
é puro acalanto
que bate à porta
num prodígio de destemperar ouvidos
as mãos postas são anêmonas variando
na facilidade em se estar no mundo

# INSONETO

De amor, ora direis, rever promessas
Que as chamas de uma voz não voltam mais
E sempre é de hora alguma esse momento
E nunca em face a mais meu bem secreto

Quisera revivê-lo em vão tormento
E em seu rosto esconder meu riso
Se se pudesse perder senso e siso
O meu pesar ao ver o seu espanto

Certo é que o infinito nunca dure
(Vai-se a primeira estrela descoberta)
Quem sabe a espuma o fim de quem desperta

Na fresca madrugada eu encontrasse
O amor (que tive) – eu vos direi, no entanto
Que só se ama a ilusão que nasce

# SUMÁRIO

5     PREFÁCIO

| | | | |
|---|---|---|---|
| 13 | ESTARRECENDO | 47 | PRINCÍPIO |
| 14 | QUE ÉS | 49 | CENA-MUDA |
| 15 | QUE NÃO ACABA | 51 | ONTIVO |
| 17 | ESFERA | 52 | CIRCUITO |
| 18 | CICLONE | 54 | EXTRAVAGANTE |
| 20 | ALVO | 56 | DE SOMBREAÇÃO & BORDADURA |
| 21 | JULGAMENTO | | |
| 22 | SENTIDO | 58 | TENTAME |
| 23 | ESPELHAR | 59 | NAQUELE MAIO |
| 24 | LOAS | 60 | RETRANSCRITA |
| 25 | INTERROGATIO | 62 | UMA TARDE QUE CAI |
| 26 | SAÍDAENTRADA | 64 | CONTO |
| 27 | LEVITER | 65 | SURPREENDÊNCIAS |
| 28 | TROPEL | 67 | MULTIPRÁTICA |
| 29 | O OITO-DEITADO | 69 | DEVERAS |
| 30 | TODO IMPLÍCITO | 70 | CRÔNICA |
| 31 | VAZIO CÓSMICO | 72 | DESERTO |
| 32 | O QUE CONTA | 73 | FIRMAMENTO |
| 33 | A SOMBRA | 75 | ÁLBUM |
| 34 | AQUI | 77 | INCISO |
| 36 | DESTA FEITA | 79 | ESTÉTICA DA CENA |
| 38 | SOLAR | 81 | HAVERES |
| 41 | COMPOSIÇÃO | 85 | DIAS |
| 42 | VULPE | 86 | USUFRUTO |
| 43 | SCHRIFTSTELLER | 87 | INSONETO |
| 46 | ESPÉCIE | | |

Este livro foi impresso em papel soft 80 g/m² para a Kotter Editorial no verão de 2018.